Feng Shui

DECORACIÓN PARA EL ALMA

Redacción, concepto, diseño y producción
Lizette Viñas
Consultora & Instructora de la Compañía THE FENG SHUI DESIGN®
Lvinas@coqui.net

Revisión y corrección del texto
Profa. Rosario Romero
Historiadora del Arte

Diseño Gráfico
Portada
Nayda Muratti

Ilustraciones
Enrique Agramonte

Montaje Digital
Suzanne García
Impress Quality Printing

Impresión y encuadernación
Impress Quality Printing
PO Box 8068
Bayamón, Puerto Rico 00960-8030

ISBN: 0-9763068-0-8

Contenido

Dedicatoria

A todo aquel que desee con el alma disfrutar de su hogar,
ser próspero, feliz consigo mismo y con su familia.

A Dios por darme los maravillosos seres que
me rodean, la salud y la oportunidad de servir
a otros con mis conocimientos de Feng Shui

A mis padres, Don Manolo y Doña Gladys por
darme la vida y enseñarme los valores de
perseverancia, honestidad y responsabilidad.

A mi hermana Ileana por enseñarme a
amarrarme bien los zapatos cuando era pequeña
como símbolo de caminar con seguridad por la vida.

A mi esposo José Antonio por hacerme feliz con nuestro
profundo amor y por ofrecerme una familia hermosa.

A mis hermosos hijos Keila y José por ser la pasión
que me mueve cada día y que junto a mi esposo, ofrecen su
incondicional apoyo a mis sueños y aventuras.

Prefacio

El Feng Shui es el arte de la ordenación del espacio donde vivimos o trabajamos, entiéndase la forma de colocar los muebles, los colores en las paredes y la utilización correcta de los accesorios, de manera que podamos capturar la energía positiva del Chi, conocida como la energía universal que fluye en nuestro entorno y entra en nuestro hogar al abrir una puerta aportando la vitalidad a su hogar.

Hace más de una década, mis primeros libros de Feng Shui me los regaló mi esposo. Estoy segura que cuando lo hizo nunca imaginó que ésta se convertiría en una de mis pasiones en la vida, que hoy día, se ha convertido en un propósito de llevar bienestar al mundo.

Al iniciar mis lecturas de Feng Shui comencé a tener dudas, me causó confusión que en algunos libros se hablaba de una cosa y en otros se decía la contraria. No me di por vencida. En aquel entonces en Puerto Rico nadie hablaba de Feng Shui. Continué mi búsqueda. Fui varias veces a Estados Unidos tomé cursos y seminarios sobre el tema con diversos maestros famosos dentro del Feng Shui, entre ellos Lin Yun, Denise Linn, Nancilee Wyndra, Peter Leung, Raymond Loo y David Kennedy. Existen varias escuelas de Feng Shui con diferentes enfoques. Traté de conocerlas, encontrar sus coincidencias y diferencias. Todas las escuelas que he estudiado han realizado contribuciones muy valiosas y han aportado conocimientos para ponerlos al servicio de otros. En esta búsqueda para el bienestar del ser humano, todo lo aprendido me ha hecho sentido.

Terah Kathryn Collins, me permitió ser su alumna y recibir sus extraordinarios conocimientos para convertirme en instructora y practicante certificada en *Essencial Feng Shui*® de la *Western School of Feng Shui*®.

En esta parte del mundo de América Latina, la mayoría de las casas en que se vive ya están previamente construidas. En ocasiones, su diseño para nada contribuye a la armonía y bienestar que se persigue. Entonces, si se aplica el conocimiento del Feng Shui para mejorar el entorno, usted podrá disfrutar de un hogar armonioso con su familia.

Introducción

Mi intención con este libro es compartir con ustedes de forma fácil y práctica, consejos sencillos de lectura rápida, para aplicar en su ambiente, logrando la armonía y el balance en sus vidas.

No pretendemos efectuar una consulta de Feng Shui a su casa u oficina en este libro, ya que para ello se debe tener la visita de un practicante certificado que profundizará en la consulta. Tampoco pretendemos entrar en detalle sobre todo lo que comprende el Feng Shui. Ofrecemos consejos generales básicos y fáciles que usted mismo puede implementar para levantar energía positiva rápidamente.

Feng Shui-Decoración para el Alma es sentir la hermosura de todo lo que nos rodea, cada mueble, obra de arte, color y accesorios que nos produce felicidad. La vida en ocasiones se vive demasiado a prisa. Especialmente en la etapa productiva de desarrollo profesional o cuando estamos criando nuestra familia. He visto a muchas personas montarse en un carrusel de tensiones y dar vueltas y vueltas si saber que el ambiente donde viven y trabajan puede ser mejorado para sintonizar nuestro cuerpo con el entorno, ser más efectivos y sobre todo, disfrutarlo para sentirnos más felices.

El objetivo es que sientan que su carrusel va más despacio, que disfrutan cada momento de su vida, rodeados de un ambiente que los hace felices. Que estén vigorosos, saludables, prósperos, con unas excelentes relaciones con su pareja, hijos, amigos, felices y sobre todo con el propósito de vivir la vida intensamente.

Una vez se logre un cambio en el entorno usted notará mayor armonía y bienestar que le ayudará incluso a pensar mejor, por ende tomará mejores decisiones y de ahí vendrá la prosperidad.

Capítulo 1
CONCEPTOS BÁSICOS

En la práctica del Feng Shui se toman en consideración tres conceptos básicos. A continuación se explican de una forma corta y sencilla:

Ying y Yang

Yin y el Yang, un círculo con símbolos complementarios. Uno es blanco y el otro negro. Cada mitad contiene un punto del color de la otra para representar la armonía entre ambas. El Yin se relaciona con lo femenino, la pasividad, lo interior, entre otros. El Yang se asocia con lo masculino, la actividad, lo exterior, entre otros. El conocimiento y aplicación correcta en una habitación trae el balance.

Mapa Bagua

El mapa Bagua, indica las nueve aspiraciones de nuestras vidas. La primera línea de izquierda a derecha del mapa representa el sector del saber y cultura, la carrera profesional, las personas útiles y serviciales y los viajes. La segunda línea que es la línea central, representa la salud y familia, el centro, la creatividad e hijos. La tercera y última línea comienza con la riqueza y prosperidad, la fama y reputación y el amor y matrimonio.

EL MAPA BAGUA

RIQUEZA Y PROSPERIDAD	FAMA Y REPUTACIÓN	AMOR Y MATRIMINIO
SALUD Y FAMILIA	CENTRO. TIERRA	CREATIVIDAD E HIJOS
SABER Y CULTURA	CARRERA PROFESIONAL	PERSONAS ÚTILES Y SERVICIALES Y VIAJES

Cada una de estas aspiraciones es activada mediante la ubicación del mobiliario, colores y accesorios para estimular la energía dentro de la habitación.

La puerta principal de su casa siempre quedará dentro de la primera línea de cuadros, entre uno de los sectores de conocimiento y cultura, carrera o personas útiles, como se indica en la gráfica que se acompaña.

Si su casa es cuadrada o rectangular dibuje en el plano de la casa dos líneas hacia arriba y dos hacia abajo. Se formarán nueve cuadros equitativos. Puede que una habitación le quede entre dos cuadros. Esto significa que la mitad de su habitación pertenece a un sector y la otra mitad a otro. Usted puede identificar en cuál habitación de su hogar está representada cada una de las nueve aspiraciones de nuestras vidas.

Si su casa tiene forma de L o de U, este dibujo le permite identificar qué sectores le faltan a usted en su hogar.

Cinco elementos

El Feng Shui utiliza los cinco elementos de la naturaleza: madera, fuego, tierra, metal y agua.

Para poder recibir el beneficio óptimo de estos cinco elementos debemos aplicarlos en una forma ordenada, en dirección y rotación de las manecillas de un reloj, para crear un ciclo constructivo.

En el ciclo constructivo cada elemento ayuda al próximo elemento. El elemento agua ayuda a que las plantas y árboles crezcan, estos simbólicamente representan al elemento madera, la madera al frotarse crea fuego, creando el elemento fuego. El fuego, al extinguir la madera que lo avivó, deja cenizas que simbólicamente se convierten en tierra, creando el elemento

CINCO ELEMENTOS

FUEGO △

☐ TIERRA

METAL ○

∿ AGUA

MADERA ⅄

tierra. Del fondo de la tierra salen los metales preciosos como el oro, el cobre y la plata, creando así el elemento metal. Cuando se funde el metal se licua, entonces simbólicamente se convierte en agua y se completa el ciclo constructivo de los cinco elementos.

Un ciclo destructivo sería a la inversa, el agua corroe el metal, el metal o las piedras controlan la tierra, la tierra apaga el fuego, el fuego quema los árboles y los árboles absorben el agua.

Existen elementos que controlan a otros elementos como por ejemplo: El metal corta al elemento madera, el agua apaga el fuego, la tierra consume el agua, la madera domina la tierra, el fuego derrite el metal.

En una aplicación Feng Shui se analiza si existe un elemento predominante para utilizar los elementos controladores y traer mayor balance a la habitación.

Los cinco elementos se relacionan con diferentes formas. El agua es en forma ondulada, la madera en forma de pedestal, el fuego en forma triangular, la tierra en forma cuadrada o rectangular y el metal en forma redonda.

El color siempre predominará sobre la forma. El agua es color negro o azul oscuro, la madera color verde o azul claro, el fuego color rojo en todas sus gamas desde el rosa claro hasta el púrpura, la tierra el color amarillo o mostaza, el metal dorado, plateado o blanco.

Conozca a cuál elemento pertenece

Cada uno de nosotros pertenecemos a un elemento dentro de los cinco elementos del Feng Shui. Existen varias maneras de identificar a cuál de ellos pertenecemos. La más sencilla para mí, de las varias que he estudiado, es tomando la fecha de nacimiento.

La fecha nos indica el elemento al cuál pertenecemos. A continuación les ofrecemos ciertas características que pudiesen dominar en la personalidad de ese elemento. Es interesante saber que esto se puede trabajar más a fondo tanto en las corporaciones y negocios, en sus negociaciones o para desarrollar un ambiente más balanceado de trabajo.

El propósito de localizar nuestro elemento es conocernos primero nosotros y luego y conocer a las otras personas en nuestro entorno de vida para tratar de entendernos mejor o sencillamente utilizar colores en la vestimenta que pueden destacar y resaltar nuestra imagen.

Fechas de nacimiento

El calendario oriental comienza en febrero y termina en enero. Busque la fecha de su nacimiento y obtendrá el elemento al que pertenece.

Año	Desde	Hasta	Elemento
1900	31 ene 1900	18 feb 1901	Metal
1901	19 feb 1901	7 feb 1902	Metal
1902	8 feb 1902	28 ene 1903	Agua
1903	29 ene 1903	15 feb 1904	Agua
1904	16 feb 1904	3 feb 1905	Madera
1905	4 feb 1905	24 ene 1906	Madera
1906	25 ene 1906	12 feb 1907	Fuego
1907	13 feb 1907	1 feb 1908	Fuego
1908	2 feb 1908	21 ene 1909	Tierra
1909	22 ene 1909	9 feb 1910	Tierra
1910	10 feb 1910	29 ene 1911	Metal
1911	30 ene 1911	17 feb 1912	Metal
1912	18 feb 1912	5 feb 1913	Agua
1913	6 feb 1913	25 ene 1914	Agua
1914	26 ene 1914	13 feb 1915	Madera
1915	14 feb 1915	2 feb 1916	Madera
1916	3 feb 1916	22 ene 1917	Fuego

Año	Desde	Hasta	Elemento
1917	23 ene 1917	10 feb 1918	Fuego
1918	11 feb 1918	31 ene 1919	Tierra
1919	1 feb 1919	19 feb 1920	Tierra
1920	20 feb 1920	7 feb 1921	Metal
1921	8 feb 1921	27 ene 1922	Metal
1922	28 ene 1922	15 feb 1923	Agua
1923	16 feb 1923	4 feb 1924	Agua
1924	5 feb 1924	24 ene 1925	Madera
1925	25 ene 1925	12 feb 1926	Madera
1926	13 feb 1926	1 feb 1927	Fuego
1927	2 feb 1927	22 ene 1928	Fuego
1928	23 ene 1928	9 feb 1929	Tierra
1929	10 feb 1929	29 ene 1930	Tierra
1930	30 ene 1930	16 feb 1931	Metal
1931	17 feb 1931	5 feb 1932	Metal
1932	6 feb 1932	25 ene 1933	Agua
1933	26 ene 1933	13 feb 1934	Agua
1934	14 feb 1934	3 feb 1935	Madera
1935	4 feb 1935	23 ene 1936	Madera
1936	24 ene 1936	10 feb 1937	Fuego
1937	11 feb 1937	30 ene 1938	Fuego
1938	31 ene 1938	18 feb 1939	Tierra
1939	19 feb 1939	7 feb 1940	Tierra
1940	8 feb 1940	26 ene 1941	Metal
1941	27 ene 1941	14 feb 1942	Metal
1942	15 feb 1942	4 feb 1943	Agua
1943	5 feb 1943	24 ene 1944	Agua
1944	25 ene 1944	12 feb 1945	Madera
1945	13 feb 1945	1 feb 1946	Madera
1946	8 feb 1946	21 ene 1947	Fuego
1947	22 ene 1947	9 feb 1948	Fuego
1948	10 feb 1948	28 ene 1949	Tierra
1949	29 ene 1949	16 feb 1950	Tierra
1950	17 feb 1950	5 feb 1951	Metal
1951	6 feb 1951	26 ene 1952	Metal
1952	27 ene 1952	13 feb 1953	Agua

Año	Desde	Hasta	Elemento
1953	14 feb 1953	2 feb 1954	Agua
1954	3 feb 1954	23 ene 1955	Madera
1955	24 ene 1955	11 feb 1956	Madera
1956	12 feb 1956	30 ene 1957	Fuego
1957	31 ene 1957	17 feb 1958	Fuego
1958	18 feb 1958	7 feb 1959	Tierra
1959	8 feb 1959	27 ene 1960	Tierra
1960	28 ene 1960	14 feb 1961	Metal
1961	15 feb 1961	4 feb 1962	Metal
1962	5 feb 1962	24 ene 1963	Agua
1963	25 ene 1963	12 feb 1964	Agua
1964	13 feb 1964	1 feb 1965	Madera
1965	2 feb 1965	20 ene 1966	Madera
1966	21 ene 1966	8 feb 1967	Fuego
1967	9 feb 1967	29 ene 1968	Fuego
1968	30 ene 1968	16 feb 1969	Tierra
1969	17 feb 1969	5 feb 1970	Tierra
1970	6 feb 1970	26 ene 1971	Metal
1971	27 ene 1971	15 ene 1972	Metal
1972	16 ene 1972	2 feb 1973	Agua
1973	3 feb 1973	22 ene 1974	Agua
1974	23 ene 1974	10 feb 1975	Madera
1975	11 feb 1975	30 ene 1976	Madera
1976	31 ene 1976	17 feb 1977	Fuego
1977	18 feb 1977	6 feb 1978	Fuego
1978	7 feb 1978	27 ene 1979	Tierra
1979	28 ene 1979	15 feb 1980	Tierra
1980	16 feb 1980	4 feb 1981	Metal
1981	5 feb 1981	24 ene 1982	Metal
1982	25 ene 1982	12 feb 1983	Agua
1983	13 feb 1983	1 feb 1984	Agua
1984	2 feb 1984	19 feb 1985	Madera
1985	20 feb 1985	8 feb 1986	Madera
1986	9 feb 1986	28 ene 1987	Fuego
1987	29 ene 1987	16 feb 1988	Fuego
1988	17 feb 1988	5 feb 1989	Tierra

Año	Desde	Hasta	Elemento
1989	6 feb 1989	26 ene 1990	Tierra
1990	27 ene 1990	14 feb 1991	Metal
1991	15 feb 1991	3 feb 1992	Metal
1992	4 feb 1992	22 ene 1993	Agua
1993	23 ene 1993	9 feb 1994	Agua
1994	10 feb 1994	30 ene 1995	Madera
1995	31 ene 1995	18 feb 1996	Madera
1996	19 feb 1996	7 feb 1997	Fuego
1997	8 feb 1997	27 ene 1998	Fuego
1998	28 ene 1998	15 feb 1999	Tierra
1999	16 feb 1999	4 feb 2000	Tierra
2000	5 feb 2000	23 ene 2001	Metal
2001	24 ene 2001	11 feb 2002	Metal
2002	12 feb 2002	31 ene 2003	Agua
2003	1 feb 2003	21 ene 2004	Agua
2004	22 ene 2004	8 feb 2005	Madera
2005	9 feb 2005	28 ene 2006	Madera
2006	29 ene 2006	17 feb 2007	Fuego
2007	18 feb 2007	6 feb 2008	Fuego

Personalidad de los elementos

Presentamos ciertos rasgos que se pueden manifestar en las personalidades de los diferentes elementos. En términos de los colores a utilizar en la vestimenta, se utilizan los que predominan tanto dentro su propio elemento como del elemento anterior al suyo que es un elemento que lo nutre a usted en el ciclo constructivo. Sin embargo, el próximo elemento que usted nutre lo controla a usted y tiende a ser absorbido por el mismo. Tenga cautela en el uso de los colores del próximo elemento. Hemos notado que muchas personas nos manifiestan que cuando los utilizan logran un gran impacto visual creando gran admiración en las personas a su alrededor pero la persona que utiliza el color tiende a sentirse al rato de utilizarlo un poco desgastada de energía.

Ejemplo: Un individuo con personalidad de madera, en negro o azul marino se siente muy bien pues son colores del elemento agua que nutre al elemento madera. En verde se siente cómodo. En rojo se siente que impacta pero el rojo es el color del elemento fuego. Hace arder y brillar la madera pero la consume ya que necesita la madera para avivar y mantener el fuego.

ELEMENTO	ELEMENTO ANTERIOR	ELEMENTO PRÓXIMO
Agua	Metal	Madera
Madera	Agua	Fuego
Fuego	Madera	Tierra
Tierra	Fuego	Metal
Metal	Tierra	Agua

COLOR

Agua - Negro, azul oscuro
Madera - Verde, azul claro
Fuego - Rojo
Tierra - Amarillo o mostaza
Metal - Oro, plateado y blanco

Personalidad del elemento Madera

Las personas del elemento madera son creativas. Siempre tienen algún nuevo comienzo en sus vidas. Son personas humanitarias, los lazos de familia son de suma importancia para ellas. Siempre buscan el mejor balance entre el trabajo y la familia para sentirse felices. La cualidad que más distingue a la persona de madera es la lealtad. El color que mejor le sienta es el verde y si quiere causar sensación en una fiesta bebe vestirse de rojo que impactará pero cuidado, porque le puede drenar su energía. Otros colores que le benefician son el *beige* y marrón.

Personalidad del elemento Fuego *Javier Kira*

La personalidad de fuego es dinámica e inspiradora. Es motivadora, entusiasta y muy inteligente. Son personas con mucho entusiasmo y energía. Las personas que pertenecen al elemento fuego necesitan tener variedad en su vida. No soportan la monotonía. Son el centro de atracción de la gente donde quiera que vaya, porque son líderes naturales. La cualidad que más identifica a las personas que pertenecen al elemento fuego es la razón y la lógica. Su virtud, el decoro. El color verde alimenta al elemento fuego. Su color es el rojo en todas sus gamas, pero para impactar debe utilizar algo amarillo con mucha cautela.

Personalidad del elemento Tierra *Rosa*

El elemento tierra brinda estabilidad, confiabilidad y buen sentido común. Son personas honestas, leales, pacientes con los demás, metódicos y sobre todo equilibrados. Además son simpáticos y su alto sentido de responsabilidad los hace destacarse. En ocasiones pueden ser demasiado exigentes con los demás. Los objetos amarillos y la cerámica representan el elemento tierra. El rojo es un color que lo alimenta ya que proviene de su elemento anterior en el ciclo. El amarillo les queda muy bien. Si desea impactar utilice el color gris, dorado, plateado y el blanco en accesorios con cautela. Las personas del elemento tierra disfrutan de manejar responsabilidades. Son sólidos y estables pues la tierra brinda balance y estabilidad. Las personas de este elemento son felices cuando tienen la oportunidad de ayudar a los demás.

Personalidad del elemento Metal *Kenny*

El metal se asocia con la abundancia y el éxito económico. Son personas con pensamiento claro y con buena capacidad de analizar las cosas de principio a fin en forma objetiva. Prestan mucha atención a los detalles. Las personas de este elemento disfrutan de trabajar y pensar en proyectos continuamente.

Las personas del elemento metal son exitosas en los negocios. Son personas rectas. El color que más les favorece es el blanco y los colores metálicos como el gris plateado. Los tonos tierra también les favorecen y les quedan muy bien. Utilice el negro y azul marino con discreción. Les encanta que su ambiente alrededor se vea estético y agradable.

Personalidad del elemento Agua

El agua representa conocimiento, sabiduría, comunicación y viajes. El agua puede ser suave como una ligera llovizna pero también puede tener la fuerza de un huracán. El agua es un líquido muy apreciado y esencial para la vida. Alimenta con vida todas las cosas vivientes. En su lado negativo tanto esta dando la gota en la roca hasta que la desgasta. Son personas persistentes. Los colores que les favorecen en la vestimenta son el blanco dorado y plateado, con los que se siente más cómodos son con el negro y el azul oscuro. Sea conservador al vestirse de verde o azul claro. Las fuentes decorativas y las peceras representan a este elemento. Las personas del elemento agua se relacionan con actividades sociales, la comunicación y la sabiduría en muchas áreas diversas. Es una persona muy sensible con los otros y poseen una intuición natural. Son espirituales. Les gusta aprender.

Capítulo 2
UN NUEVO HOGAR

Estamos felices con nuestro nuevo hogar. Es el momento perfecto para acomodar nuestros muebles de manera que podamos crear un ambiente armonioso y disfrutar de nuestra casa a plenitud. Antes de mudarnos debemos traer la bendición a nuestro hogar. Una visita de algún representante de la iglesia de su predilección puede bendecir nuestro nuevo hogar. Si no le es posible hacer los arreglos con su iglesia, usted mismo puede sembrar las buenas intenciones de felicidad para usted y su familia y pedirle a Dios la bendición del cielo.

- Primero repinte todo el interior de su casa. Es la mejor manera de terminar con la energía de los anteriores inquilinos que aún está plasmada en las paredes.

- Las esquinas tienden a acumular energía estancada. Limpie bien cada esquina de la casa antes de mover sus muebles.

- Lave todas las ventanas, baños, cocina y balcón.

- Limpie el patio, recorte la grama.

- Puede limpiar el aire con aromaterapia o inciensos.

- Bendiga su hogar y pida lo que usted anhela en él, una unión familiar feliz, buena salud para todos en la casa, etc.

- El Feng Shui entiende que usted debe indicar con su voz las intenciones de lo que usted desea.

- Verifique que la puerta principal de su casa está en buenas condiciones, bien pintada, con las cerraduras en buen estado.

- Coloque plantas vivas en la entrada de la puerta.

- Observe desde su puerta qué es lo que ve a su alrededor. Fíjese si existe algo que esté apuntando hacia su puerta como ramas de árboles secos o alguna esquina filosa de algún edificio aledaño.

- Limpie bien la entrada de su hogar y póngala atractiva.

- Coloque una luz en la entrada de manera que de noche se vea clara cuál es la entrada principal.

Capítulo 3

LIMPIEZA TOTAL DE CLÓSET Y GARAJE

Si pudiésemos decir que en el Feng Shui existen reglas, creo que ésta sería la número uno: No existe espacio para el desorden dentro del Feng Shui. Usted debe tener en su casa lo que realmente necesita y utiliza, ni más ni menos.

- Haga una limpieza total del garaje. Esto es parte de su casa y dentro de una consultoría de Feng Shui se toma en consideración.

- Recoja todos los clóset y armarios de su hogar. Saque de ropa que usted no utiliza y regale a otros. Así completa un ciclo de compartir con otros necesitados y a la vez crea espacio para nuevas oportunidades.

- Recoja las gavetas, ahí también hay cosas guardadas que nunca se utilizan.

- Haga recogidos de tiempo en tiempo o varias veces en el año. Verá qué liviano se sentirá el ambiente.

- Tener cajas almacenadas una encima de otra estanca el flujo de energía. Al recoger, el Chi beneficioso fluirá por toda su casa.

- Si tiene cosas de las cuales no puede desprenderse, empáquelas en cajas de plástico transparentes o si son de cartón identifíquelas para saber exactamente dónde están ubicadas. Es importante que visualmente se vean recogidas con espacio entre ellas para que fluya la energía.

Capítulo 4
REFLEJA UN BUEN FENG SHUI CON EL ESPEJO

Los espejos son un elemento decorativo que ayuda a crear un ambiente amplio y elegante. Dentro del Feng Shui los espejos tienen su lugar de importancia:

- Evite colocar un espejo justo al frente de la puerta principal de entrada de la casa. Esto hace que al abrir su puerta y entre el Chi, rebote hacia atrás con el espejo.

- Los espejos grandes ayudan a revivir la energía en un espacio muy estrecho.

- En áreas dedicadas a la relajación y descanso como las habitaciones debe tener la precaución de no tener espejos que reflejen su cama al dormir. Los espejos pueden crear una energía Yang muy activa que no le permitirá descansar adecuadamente.

- Al momento de acostarse puede correr o cubrir las puertas del clóset con espejos de cristal que reflejen la cama.

- Si su ventana tiene una vista atractiva que estimula su ánimo, saque partido de esta buena energía duplicándola con un espejo.

- Cubriéndolas con espejos, podemos esconder las columnas que entorpecen visualmente.

- Los espejos en el comedor que reflejen la comida servida en la mesa duplican la abundancia. No exagere con el tamaño del mismo.

- Al colgar un espejo en la pared considere la altura de todos los adultos de la casa, que se puedan ver la cabeza sin tener que agacharse.

- No tener espejos rotos.

- Deben estar siempre limpios.

- Si está de espaldas a la puerta con su computadora, coloque a su lado un pequeño espejo que refleje quién entra.

- Si su estufa está de espaldas a la puerta, coloque un espejo en la parte superior de la estufa que le permita ver quién entra por la puerta de la cocina.

Capítulo 5

LOS MUEBLES DE LA SALA

La sala es el lugar donde recibimos a nuestros invitados en nuestro hogar. Tradicionalmente ponemos mucho esfuerzo decorativo en esta área que representa el gusto de los residentes. A continuación qué cosas debe tener en cuenta al momento de seleccionar el mobiliario de la sala:

- La sala debe estar claramente definida y separada del *family* o del comedor.

- Que cuando se entre a esta área, ofrezca la sensación de amplitud, esto se logra limitando el número de piezas en el mobiliario.

- El exceso de muebles no es conveniente, menos es más.

- Los muebles ordenados y colocados de manera que todos puedan ser parte de una conversación.

- Mantenga un balance de colores y formas de los cinco elementos del Feng Shui, agua, madera, fuego, tierra y metal para mantener la armonía.

- El sofá es la pieza de más importancia en la sala.

- El sofá debe tener de soporte una pared.

- Si es un espacio abierto y no tiene paredes suficientes, procure tener plantas o coloque una mesa alta y alargada detrás del sofá como soporte.

- Si tiene un ventanal de espaldas del sofá, el soporte puede ser una cortina cerrada.

- La posición del sofá debe estar en comando, para que usted vea quién entra por la puerta.

- El sofá no debe colocarlo justo al frente de la puerta principal.

- No debe sentarse de espaldas a la puerta principal.

- Las líneas curvas favorecen el paso del Chi en forma suave a través de los muebles.

Capítulo 6
ILUMINACIÓN

En nuestro hogar la iluminación tiene un lugar prominente. Una habitación con una pobre iluminación hace que la energía se estanque. Una habitación con demasiada iluminación es incomoda. El Feng Shui promueve lo que es el balance. Es importante que la energía fluya con facilidad. Evaluemos cada habitación de nuestro hogar e identifiquemos cuáles necesitan más iluminación y cuáles tienen demasiada.

Habitaciones oscuras

- Observe el techo, si tiene un declive de mayor a menor, coloque una lámpara con iluminación hacia arriba en la parte más baja del techo para nivelarlo simbólicamente.

- Si el techo con declive es en una habitación evite dormir en la parte más baja del techo. Esto simbólicamente nos oprime y no nos permite descansar bien.

- Evite esquinas oscuras en cualquier habitación, la energía se estanca en ellas.

- Puede utilizar lámparas ya sean de pie o de mesa para activar las esquinas.

Habitaciones con mucha luz

- Evalúe los voltios de las bombillas para ajustarlas a sus necesidades.

- Puede eliminar algunas lámparas o luces.

- La iluminación en estas habitaciones debe contar mejor con lámparas cuyo *shade* brinde iluminación hacia abajo.

Capítulo 7
UN BUEN FENG SHUI CON PLANTAS

Las plantas dentro del Feng Shui se utilizan como remedios efectivos e incluso ayudan a estimular buena energía. Lo primero es elegirlas con mucho cuidado.

- Coloque plantas vivas en la entrada de su casa.

- Plantas con hojas redondas como el ficus, uvas de playa, schefllera para el interior de la casa u oficina son mejores que las que tienen hojas filosas, como las palmas o arecas.

- La planta del bambú simboliza longevidad.

- En el jardín debe mantener en control las plantas podándolas regularmente.

- En una oficina o en el interior de la casa deben cambiarse con regularidad cuando comiencen a ponerse amarillas.

- Las plantas enfermas son de mal Feng Shui.

- No utilice dentro de las oficinas y hogares cactus espinosos.

- Los cactus pueden colocarse en el exterior sólo como protección o remedio de algún mal Chi.

- Un remedio efectivo para una esquina saliente es colocar una planta justo en frente del filo de la columna.

- Tener plantas alrededor y dentro de la casa es beneficioso pero debe procurar no tenerlas dentro de las habitaciones donde se duerme. Su energía es Yang y puede afectar al descanso

- Las plantas vivas tienen mayor cantidad de energía Yang, las artificiales tienen energía Yin.

Capítulo 8
LA IMPORTANCIA DEL AGUA

El agua, necesaria para la vida, es uno de los elementos dentro del Feng Shui que estimula la prosperidad en todos los aspectos de la vida, especialmente en los asuntos económicos.

- El agua en movimiento continuo, ya sea una pecera, una fuente decorativa o piscina activan la energía y crean un ambiente armonioso.

- Cuando instale una fuente decorativa de agua lo más importante es su localización.

- Puede colocar una pecera o fuente de agua en el norte y este de su casa u oficina. Estos sectores son beneficios para el agua.

* No se recomienda tener ningún elemento de agua en las habitaciones. El movimiento de agua continuo genera energía Yang y no le permitirá descansar bien.

- Si nos referimos al mapa Bagua, presentado en el capítulo 1, el sector de la prosperidad se encuentra en el último cuadrante a la extrema izquierda. Considere ubicar una pequeña fuente decorativa en este sector siempre y cuando no sea una habitación.

- Si usted desea colocar un estanque o fuente de agua frente a su casa, le recomendamos que se pare en el portal de su puerta principal, de adentro hacia afuera como si fuese a salir de su casa, e identifique el lado izquierdo. Ése es el mejor punto para colocar un elemento de agua en el frente de su casa.

Capítulo 9
EL COMEDOR

Dentro del Feng Shui, el comedor representa el corazón de la casa. Es el punto de reunión familiar o con nuestros amigos para conversar, compartir e ingerir los alimentos esenciales que nos generan energía en nuestro interior.

- El color de las paredes en el comedor influye en la forma y el ánimo en cómo se ingieren los alimentos.

- En una residencia el comedor puede decorarse con colores alegres en el tapizado, paredes, accesorios, mantelería o la vajilla.

- Puede utilizar los colores verde, azul y rosa porque estimulan salud y avivan el paladar.

- Si interesa que el comedor sea una zona relajante no debe tener relojes que creen prisa mientras se come.

- En un restaurante los colores brillantes como amarillo, naranja y rojo crean una atmósfera de conversación estimulante y de festejo.

- Si es un restaurante de mariscos no se debe utilizar rojo.

- El verde es un mejor color para los restaurantes de mariscos, es el color de los mariscos frescos.

- Debe evitarse el negro y blanco, aunque se ven elegantes en la decoración, estos no invitan al disfrute de la comida.

- Si usted está en un régimen dietético para reducción de peso, un mantel o un plato negro ayudará a no encontrar tan apetecible y atractiva la comida.

Capítulo 10
EL FENG SHUI EN LA COCINA

Cada uno de los enseres de la cocina está simbólicamente representado por un elemento, de los cinco elementos del Feng Shui. El fregadero y la nevera representan el agua, la estufa el fuego, los gabinetes de cocina la madera, ollas y cuchillos el metal, la vajilla de cerámica la tierra. La manera en que ubiquemos y coloquemos estos elementos en un ciclo constructivo, nos permitirá obtener un buen Feng Shui.

- Evite elementos que se destruyen unos a los otros, como tener el fregadero (agua) enfrentándose con la estufa (fuego).

- El agua controla el fuego y nos dará muy pocos deseos de cocinar y bajará la creatividad culinaria.

- La nevera debe estar bien surtida de alimentos. Esto representa abundancia.

- La estufa no debe estar justo al lado del fregadero, necesita un espacio de mostrador de madera entre ambos.

- Deje limpia la cocina todas las noches antes de retirarse a descansar.

- El mostrador debe estar despejado. Sólo debe tener lo que se utiliza continuamente.

- Los cuchillos deben estar guardados dentro de las gavetas.

- La cocina no debe dar frente a un baño. Si fuese el caso, mantenga la puerta del baño cerrada.

- No tener la cisterna o un baño encima de la cocina.

Capítulo 11

SELECCIÓN DEL ARTE PARA SU HOGAR

Dentro del Feng Shui se promueve que al momento de comprar un cuadro tenga en consideración lo siguiente:

- Compre lo mejor que usted pueda de acuerdo a su presupuesto.

- La pieza tiene que gustarle mucho, si representa algo que usted desea alcanzar, mejor, pues esta visualizando su deseo cada vez que lo mire.

- Animales feroces a punto de atacar no son buenos para dentro de oficinas ni habitaciones.

- Animales como aves, caballos o abstractos ondulados que suban, árboles altos, elegantes edificios altos, flores brillantes son buenos para las personas que están profesionalmente en el campo de las ventas.

- Un cuadro de dos amantes es muy recomendable para la pared frente a la cama en la habitación matrimonial.

- Evite los cuadros con atardeceres, cascadas o cualquier cosa que vaya hacia abajo, o motivos que representen un final como las flores secas.

- No son buenos para el hogar los cuadros de batallas.

- Evite los temas demasiados confusos.

- Utilice el colorido de los cuadros para estimular la energía positiva en el ambiente.

- Evite temas tristes o que representen tragedia.

- No son buenas para un buen Feng Shui las piezas con personas a las que les falten cabezas, ojos, manos o pies.

- El concepto del arte en el Feng Shui dispone el uso de colores para avivar energía.

- Utilizando estos consejos lograremos una armonía con el entorno, alegría, bienestar y buen gusto.

Capítulo 12
LAS FLORES EN EL FENG SHUI

Para activar la energía rápidamente en nuestra casa u oficina, coloque un jarrón con flores frescas. Las flores naturales tiene la virtud de inspirar admiración por su belleza. Es una buena manera de mantenernos conectados con la naturaleza. Cuando se encuentre deprimido compre flores frescas. Sienta cómo su poder energético de color y olor activa el ambiente. Compartimos varios consejos del Feng Shui para maximizar la energía activa que nos brindan las flores.

- Tenga siempre flores frescas, una vez muestren señas de estar marchitándose, descártelas inmediatamente.

- Utilice colores vibrantes como el rojo, amarillo y anaranjado para crear un ambiente alegre.

- Las flores coloridas tienen energía Yang, energía activa, por lo tanto en las habitaciones debemos retirarlas antes de dormir, ya que podremos tener dificultad para lograr el sueño.

- En los hospitales se recomienda tener flores en las habitaciones. La energía Yang de las flores es necesaria para estimular y avivar el ánimo del enfermo.

- A las rosas debemos retirarles las espinas antes de colocarlas en el jarrón.

- En caso que no pueda tener flores frescas, las flores de seda son una alternativa, siempre y cuando se mantengan limpias de polvo.

- Disfrute de las flores y su belleza. Con ellas logrará un ambiente refrescante que le hará sentir mejor, por lo tanto más feliz.

Capítulo 13
EL CUARTO DE LOS NIÑOS

Al igual que el resto de nuestra casa, la habitación de los niños tiene su espacio dentro de la fascinante disciplina del arte de la ordenación del Feng Shui. Los niños representan una de las nueve aspiraciones de nuestras vidas dentro del Feng Shui. Por eso el objetivo del Feng Shui es garantizar el equilibrio adecuado en el que participen todos los miembros de la familia y todas las personas que viven en nuestra casa.

- Cuando los niños están en crecimiento, la habitación del lado este de la casa es mejor para ellos.

- El este representa crecimiento y nuevo comienzo.

- No debe haber nada que estorbe, bloquee o esquinas salientes que apunten hacia la cama.

- Los niños son muy sensitivos, al acostarlos corramos o cubramos las puertas de espejos de los clóset que reflejen su cama al acostarse.

- Al apagarse los televisores y computadoras, tienen el mismo efecto que los espejos, cúbralos.

- Si su niño es hiperactivo verifique qué colores tiene en su habitación.

- Utilice colores pastel en vez de colores brillantes como el rojo.

- Es muy buena idea tenerles fotos de familiares.

- Las fotos de familiares difuntos no son apropiadas.

Capítulo 14
CONSEJOS PARA AYUDAR A LOS NIÑOS EN LOS ESTUDIOS

Dentro del Feng Shui se utilizan simbolismos y recomendaciones para que tratemos de ayudar a nuestros hijos a poder concentrase mejor en los estudios. A continuación varios consejos del Feng Shui para los estudios:

- Identifique las áreas del conocimiento y la creatividad en su hogar con la ayuda del mapa Bagua presentado en el capítulo 1. Estos dos lugares son recomendables para estudiar o trabajar algún proyecto creativo.

- El elemento tierra ofrece estabilidad y también representa responsabilidad.

- Objetos en rojo, como un vaso o taza para colocar lápices y bolígrafos energizan al elemento tierra.

- Puede utilizar un pisapapeles de cuarzo natural que ayudará a estimular el elemento tierra.

- Tenga la precaución que la cabecera de la cama no comparta la pared del baño.

- El escritorio y su computadora debe estar en posición de comando hacia la puerta.

- Evite tener televisores prendidos en el área de estudio para evitar distracciones.

- Una música de fondo que sea su agrado puede ayudarle a enfocarse mejor en los estudios.

Capítulo 15

PARA LAS RELACIONES

Los seres humanos necesitamos sentirnos amados y deseados por nuestra pareja. Dentro del arte del Feng Shui existe una variedad de recomendaciones para activar la energía que nos rodea, lograr la armonía y proteger la felicidad conyugal.

Lo que debemos evitar en la habitación conyugal

- Una cama con dos pequeños *matress* unidos. El *matress* debe ser una sola pieza. El Feng Shui trabaja con simbolismos y esta situación nos indica separación.

- Tener en la habitación el espejo encima, al lado o al frente, en forma fija, que refleje la cama puede traernos dificultades para descansar bien. Esto a la larga trae dificultad en el ánimo y pone tensa a la pareja.

- No tener televisores ni computadoras. Una vez se apagan crean el mismo efecto de un espejo. Si su pareja insiste en tener el televisor en el cuarto, colóquelo en un mueble que tenga puertas.

- Una computadora en la habitación siempre nos recordará el trabajo.

- El espaldar de la cama no debe compartir con la pared de un baño.

Lo que debemos tener en la habitación conyugal

- Si interesa pasión en su vida íntima, coloque una figura o una pintura de dos amantes.

- Párese en la puerta de la habitación matrimonial mirando hacia adentro, busque el punto más lejano del lado derecho, esa es la sección de las relaciones. En ese punto debe colocar fotos suyas con su pareja, dos cuarzos rosados, cualquier figura que represente el amor de pareja.

Capítulo 16
SOLTEROS, ACTIVEN SU HABITACIÓN CON FENG SHUI

Si desean atraer romances a sus vidas pongan atención a estos consejos que nos ofrece el Feng Shui.

Seis consejos para las chicas solteras

- Nada de peluches en la habitación.

- Cambie las fotos o cuadros en las que sólo aparece la figura de una persona.

- Son ideales las fotos de parejas, ya sea de personas o de animales.

- Coloque dos cuarzos rosados en una mesita en la esquina de las relaciones y el matrimonio.

- La esquina de las relaciones y el matrimonio es el punto derecho más distante de su habitación. Identifique este punto parándose en su puerta del cuarto mirando dentro de la habitación. Busque el punto más distante a mano derecha.

- Coloque los cuarzos debajo de una lamparita de noche y active su energía todas las noches, encendiéndola un rato.

Seis consejos para los chicos solteros

- Saque de la habitación la computadora y el televisor.

- Prepare su habitación para el romance cambiando las sábanas de mucho colorido o diseño por unas más sensuales y atractivas.

- Ponga en su habitación elementos y objetos que indiquen sensualidad.

- Las velas y las luces tenues son ideales para crear un ambiente romántico.

- Coloque su cama en una posición que vea quién entra por la puerta.

- Saque los posters de carros y de jugadores famosos de la habitación, en su lugar, coloque arte creativo que ofrezca serenidad.

Capítulo 17
RECOMENDACIONES PARA LA OFICINA

Muchas compañías cada vez más reconocen la importancia de tener un ambiente armonioso para sus empleados. Algunos consejos de esta fascinante ciencia de la ordenación del espacio en que trabajamos o vivimos. El Feng Shui en la oficina:

- No se siente justo frente a la puerta de su oficina.

- Evite que su oficina quede al final del pasillo. Si no puede cambiar de oficina, coloque plantas vivas en el pasillo para reducir el impacto de energía.

- No se siente debajo de vigas. Esto es una energía opresiva y puede provocarle dolores de cabeza.

- Mantenga una lámpara encendida en su oficina o escritorio en el sector de la reputación. Este sector es el punto medio al fondo de su oficina o de su escritorio.

- No tenga libreros abiertos con las tablas de madera que apunten hacia usted. Esto puede causarle problemas de salud. Esto se conoce como el efecto de navaja cortante. Si tiene un librero de este tipo, trate de colocarlo en otra dirección que no sea hacia usted. También puede colocar plantas pequeñas que sus hojas cubran un poco las tablas para minimizar el efecto cortante.

- Mantenga la oficina recogida.

- Tenga buena iluminación.

- No se siente de espaldas a la puerta.

- Tenga plantas naturales y saludables.

Capítulo 18

RECOMENDACIONES PARA LOS NEGOCIOS

Dentro del Feng Shui la recomendación de un excelente negocio comienza con su ubicación. La selección adecuada del famoso punto puede ya ofrecerle una garantía de éxito. Continuamente vemos negocios prósperos económicamente que cuando los mudan dejan de serlo.

En el Feng Shui se utilizan simbolismos de animales dentro de la cultura oriental, para asociarlos con las formas del terreno a ubicar su negocio.

- Cuando se encuentre en la selección del punto de su negocio, busque a su alrededor el beneficio de una montaña o edificios altos en la parte de atrás del mismo, una montaña o edificio al lado izquierdo más alto que en el lado derecho.

- La protección de la montaña o edificio alto en la parte trasera del negocio simboliza en el Feng Shui el caparazón fuerte de la tortuga que protege su espalda.

- La montaña o edificio más alto, aunque sea a la distancia, en el lado izquierdo simboliza dentro del Feng Shui la protección del dragón.

- La montaña o edificio al lado derecho más bajo es la protección del tigre.

- Una puerta de entrada justo en el medio del negocio es ideal.

- Decore su entrada de manera que invite a entrar al mismo.

- Puede utilizar un anfitrión, ya sea un empleado o alguna pieza simpática que atraiga la atención del que pase e invite a entrar a su negocio.

- Verifique los sí y no de su negocio.

- Un sí puede ser un buen rótulo, buena iluminación, identificación inmediata de la dirección con un número que se vea desde la calle, que esté bien pintado con colores alegres.

- Un no puede ser, plantas en mal estado justo en la entrada, una puerta en mal funcionamiento, cerrojos que no funcionen, una vitrina poco atractiva, falta de limpieza en el lugar, un negocio maloliente, basura en la entrada.

- Debemos evitar poner alfombras en la entrada que lleven el nombre de la compañía o negocio. Estás permitiendo que pisen el nombre del negocio.

Capítulo 19

UN ATRACTIVO RECIBIDOR PARA LOS CLIENTES

Los recibidores en las corporaciones o las salas de espera de los profesionales cada vez toman más importancia. Es la primera impresión del visitante. Además, es por donde usted recibe todos los días a sus empleados.

Un recibidor o sala de espera puede causar incomodidad y desesperación a los que lo utilizan por mucho tiempo esperando por un servicio.

- Los colores brillantes en el área de recepción son magníficos para corporaciones que su razón de ser sea la venta. Esto estimula con buenas vibraciones a su fuerza de venta.

- Colores brillantes en todas las paredes en una sala de espera puede hacer sentir incómodos a los que la utilizan por mucho tiempo.

- Es recomendable aplicar un acento de color en una pared y bajar el tono o ser más neutral en el resto de las paredes.

- Si va a colocar piezas de arte en la recepción, asegúrese que reflejan el buen gusto de la empresa y que sean de temas agradables.

- Las bombillas de alógeno o luz más amarilla evitan la fatiga visual.

- Las plantas saludables son bienvenidas en el área, ayudan a limpiar el ambiente.

- Trabaje la colocación de muebles en una forma circular para que los que esperan puedan tener conversaciones con los demás.

- Mantenga su revistero al día con periódicos y revistas de actualidad y de diferentes temas.

- Elementos de agua siempre refrescan el ambiente.

- La música debe ser relajante para el que tiene que esperar por mucho tiempo y con un volumen moderado.

- Televisores en el área, con películas recientes, puede ser un gran atractivo si la espera es de más de dos horas.

Capítulo 20
JARDINES CON FENG SHUI

Un jardín atractivo y bien cuidado nos brinda alegría en el corazón. Dentro del Feng Shui los jardines crean un ambiente de relajación.

- Seleccione cuidadosamente las plantas que va a sembrar. Plantas que tiendan a crecer cubriendo las paredes no son auspiciosas.

- Son bienvenidas las plantas con flores para estimular la buena energía, especialmente las rojas, púrpuras, azules, blancas y amarillas.

- Utilice un poste de iluminación. Es una excelente alternativa para el frente y parte de atrás de la casa.

- Fuentes de agua o pequeños estanques siempre son atractivos en cualquier jardín.

- Tener peces dentro del estanque atrae la buena energía.

- Las hojas redondeadas son las más recomendadas.

- Si su casa tiene una configuración en forma de L o de U, a su casa le falta un sector de los nueve sectores que impactan nuestras vidas. Consulte un practicante de Feng Shui certificado sobre cómo mejorar su hogar utilizando el beneficio de un jardín en estos sectores.

- Una entrada atractiva con un jardín saludable y bien planificado aumentará el valor visual de su propiedad.

- Suavice la entrada de su hogar evitando entradas rectas. Puede utilizar lajas o construir un camino en forma curvada y plante plantas con flores u hojas de colores para alegrar su entrada.

- En la noche mantenga bien iluminada el área de entrada a su residencia.